La princesse réclame

Pour Lucile et Amandine
- M.B.
Pour ELINOR, mon cadeau du ciel
- C. N.-V.

ISBN 978-2-211-21368-4
Première édition dans la collection *lutin poche*: juin 2013

Loi numéro 49 956 du 16 juillet 1949 sur les publications
destinées à la jeunesse: septembre 2011
Dépôt légal: décembre 2013
Imprimé en France par Aubin Imprimeur à Ligugé

La princesse réclame

Christine Naumann-Villemin
Illustrations de Marianne Barcilon

kaléidoscope
lutin poche de l'école des loisirs
11, rue de Sèvres, Paris 6e

Eliette aime beaucoup les publicités.
« Regarde, maman,
au Parc des jouets enchantés,
les enfants sont heureux !
On peut y aller ? »
Mais sa maman n'est pas d'accord :
« Ah, non ! On attend des heures
dans le froid ! »

PARC DES JOUETS
ENCHANTÉS

Alors, avec sa cousine Alice, elle réussit à convaincre sa mamie et son papi.

Beaucoup d'autres enfants ont eu la même idée.

PARC des JOUETS ENCHANTÉS
LE RÊVE DE VOS ENFANTS

«Regarde, Alice, c'est écrit sur les affiches :
"Une fille intelligente DOIT avoir la trottinette à paillettes
avec les lumières qui clignotent."»

4 KINGS 1'.
NEW
LA TROTTINETTE QU'IL VOUS FAUT
POUR VOUS LES FILLES
GRÂCE À ELLE
SOYEZ VIVES
ET INTELLIGENTES

« Tu as vu », dit Eliette en parcourant le catalogue du parc : « si on veut être une super-copine, il faut absolument avoir les images de la licorne magique. Et celles de l'éléphant qui pète ! Et celles du requin qui se brosse les dents ! »
« Oui, sinon, on n'a pas de copines », affirme Alice.

Youpi ! Youpi !
On échange nos cartes,
On est amis pour la vie !
LES CARTES à échanger avec TES AMIS
ÉCHANGER EST UN PLAISIR
Catalogue
Au parc, tout s'achète !

« Tu comprends, Alice, il faut absolument avoir le pistolet qui envoie des boulettes de prout si on veut être la plus rigolote! »

« Sinon, on est toutes tristounettes »,
ajoute Alice.

«Oh! Génial! C'est le fameux chien tout frisé avec des couettes et la laisse qui brille! Toute princesse se doit d'en avoir un.»
«Et nous, on veut être de VRAIES princesses!» renchérit Alice.

HETEZ le vrai WOUWOU
pour les uraies princesses
WOUWOU
PETIT WOUWOU
IL EST CHOUCHOU
IL EST POUR VOUS

«Et en plus, les vraies princesses, elles ont des couronnes :
ils le disent dans TOUTES les publicités ! »
«Évidemment», confirme Alice, «sans couronne, on est trop momoche ! »

Alors, en rentrant, Eliette fait sa liste de cadeaux.

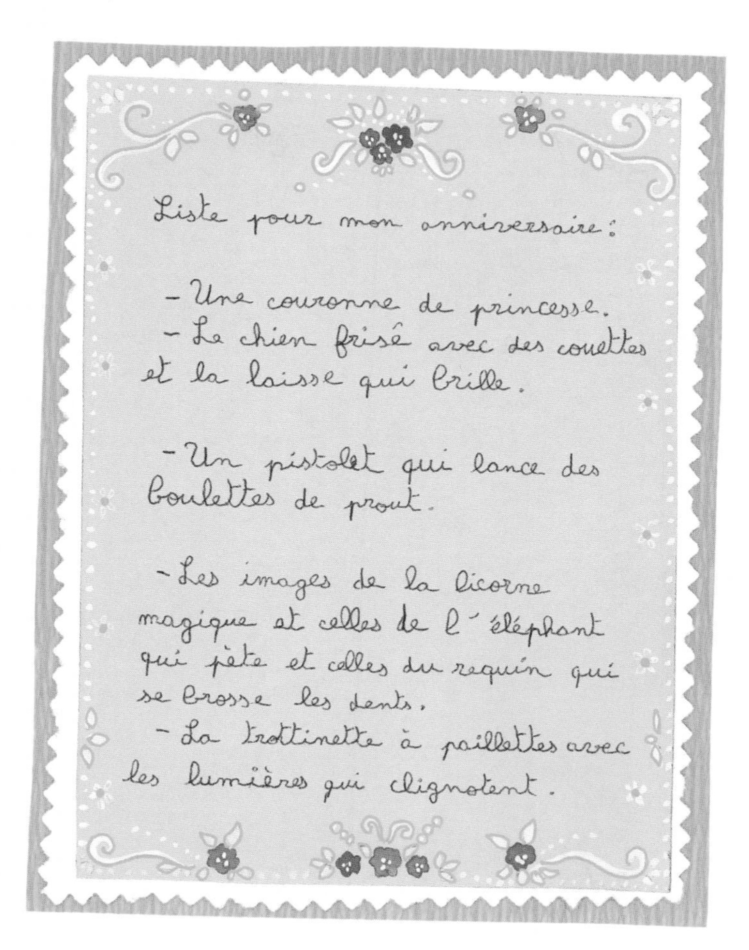
Liste pour mon anniversaire :

- Une couronne de princesse.
- Le chien frisé avec des couettes et la laisse qui brille.

- Un pistolet qui lance des boulettes de prout.

- Les images de la licorne magique et celles de l'éléphant qui pète et celles du requin qui se brosse les dents.
- La trottinette à paillettes avec les lumières qui clignotent.

La famille au grand complet a reçu la liste,
et le jour du repas d'anniversaire, les grands-parents,
les tantes, les marraines, les parrains,
tout le monde arrive les bras chargés de cadeaux.
Eliette ne sait plus où donner de la tête!

Joyeux
Anniversaire

Mais, lorsque tout le monde est parti,
Eliette range ses jouets.
Le chien est carrément râpé et
ses couettes ne sont plus tellement frisées.
Le pistolet est en plastoc tout toc.
Les images sont cornées.
La trottinette est déjà cassée.
La couronne ne brille même pas.

Le lendemain, quand Alice vient jouer, Eliette est toute dépitée.
« Nuls, ces jouets ! »
« Ouais. »
« Mais ils avaient l'air si géniaux… qu'est-ce qu'on va en faire ? »

Un oiseau se pose sur le rebord de la fenêtre.
« Oh! qu'il est mignon! On peut sortir lui donner à manger? »
propose Alice.

« Attends! J'ai une meilleure idée! Suis-moi! Et prends de la ficelle. »

Les fillettes passent la journée à couper, coller et attacher…

Et hop, la trottinette en perchoir… le petit chien en trampoline…
le pistolet en mangeoire… et la couronne en balançoire…
« Tu vois, on est intelligentes, généreuses, rigolotes, belles, de vraies princesses, quoi ! »

BIENVENUE AU PARC D'ATTRACTIONS DES OISEAUX HEUREUX !